Le régime méditerranéen pour les débutants

50 recettes faciles et délicieuses pour vous aider à perdre du poids rapidement

Eliane **Morin**

Tous les droits sont réservés.
Avertissement

Tableau de Contenu

INTRODUCTION

Si vous essayez de manger des aliments meilleurs pour votre cœur, commencez par ces neuf ingrédients sains de la cuisine méditerranéenne.

Les ingrédients clés de la cuisine méditerranéenne comprennent l'huile d'olive, les fruits et légumes frais, les légumineuses riches en protéines, le poisson et les grains entiers avec des quantités modérées de vin et de viande rouge. Les saveurs sont riches et les bienfaits pour la santé des personnes qui choisissent un régime méditerranéen, l'un des plus sains au monde, sont difficiles à ignorer - ils sont moins susceptibles de développer une hypertension artérielle, un taux de cholestérol élevé ou de devenir obèses. Si vous essayez de manger des aliments meilleurs pour votre cœur, commencez par ces ingrédients sains de la cuisine méditerranéenne.

1. Cuit au four à la méditerranéenne écrémée

Ingrédients

- ❖ 2 grosses aubergines
- ❖ 1 gros paprika
- ❖ 1 gros oignon
- ❖ 1 grosse tomate
- ❖ Sel et huile d'olive

- ❖ Vinaigrette
- ❖ 1 cuillère à café de vinaigre balsamique
- ❖ 1 pincée de sel
- ❖ goûter l'origan
- ❖ Poivre
- ❖ 1 cuillère à café d'huile d'olive
- ❖ 1 cuillère à soupe de miel

PAS

1. Lavez les légumes, faites de petites coupes dans la peau (réservez la tomate), saupoudrez de sel et d'huile d'olive, mettez au four 50 minutes à 180 degrés, tournez, après 50 minutes, mettez les tomates encore 20 minutes avec les légumes. Éteignez et laissez reposer.
2. Égouttez les liquides que les légumes ont libérés dans un récipient et réservez, retirez la peau des légumes et coupez-les en lanières ou juliennes et assiette.
3. Pour la vinaigrette, on prend les liquides des légumes, on ajoute une pincée de sel, sel, vinaigre balsamique, miel, poivre, origan, et remue, ajoute l'huile d'olive et baigne nos légumes rôtis; vous n'arrêterez pas de manger; nous l'accompagnons de riz blanc et de poitrine grillée.

2. Soupe méditerranéenne

Ingrédients

- ❖ 200 grammes d'escargot
- ❖ 200 grammes de crevettes
- ❖ 250 grammes de palourdes dans une coquille
- ❖ 1 poisson blanc, dans ce cas, mojarra rouge
- ❖ deux tomates pelées
- ❖ 1 oignon rouge en petits cubes
- ❖ 2 dents d'ail
- ❖ 1 branche de céleri finement hachée
- ❖ 1 carotte coupée en tranches
- ❖ 2 cuillères à soupe d'huile d'olive
- ❖ 3 cuillères à soupe de sauce napolitaine
- ❖ 200 grammes de spaghettis
- ❖ 4 cuillères à café de coriandre hachée

PAS

1. Préparez les ingrédients, lavez les escargots, les palourdes dans la coquille, retirez la tête des crevettes et la queue et la tête du poisson et faites-les bouillir pendant 20 minutes. C'est le bouillon que nous utiliserons comme arrièreplan
2. Ajouter le céleri haché au fond, couper l'oignon en dés et les gousses d'ail mettre l'huile dans un bol profond
3. Coupez le poisson en quatre morceaux, filtrez le fond, mettez-le dans le robot et mélangez les têtes de crevettes, la tête et la queue du poisson et le céleri

4. Mélanger pendant une minute et remettre dans la casserole et mettre sur feu doux, et remuer de temps en temps pour éviter de coller

5. Dans la casserole, l'huile à température, ajouter l'ail et l'oignon et faire revenir 30 secondes et ajouter la tomate, laisser reposer 5 minutes en remuant

6. Ajouter la sauce napolitaine et cuire 3 minutes; ajouter le basilic et l'origan ainsi que la carotte; après 5 minutes, ajoutez l'arrière-plan

7. Bien mélanger et ajouter après la première ébullition à nouveau les escargots

8. Ajouter un autre litre d'eau chaude pour ne pas couper la cuisson, remuer et ajouter les crevettes, rectifier les saveurs; c'est-à-dire qu'il est temps d'ajouter le sel et le poivre

9. Ajouter le poisson puis les spaghettis, attendre 9 minutes jusqu'à ce que les pâtes soient al dente.

10. Baisser le feu et décorer l'assiette avec les palourdes et saupoudrer de coriandre.

3. Burgers méditerranéens

Ingrédients

- ❖ 400 grammes de bœuf haché fin avec un peu de graisse
- ❖ 1/2 poivrons
- ❖ 1 oignon rouge

- ❖ 1 tomate
- ❖ 100 grammes de mozzarella
- ❖ 1 avocat Hass
- ❖ Laitue
- ❖ Olives
- ❖ Pain pita
- ❖ chorizo (Santarosano dans mon cas)
- ❖ 2 cuillères à soupe de concentré ou de purée de tomates
- ❖ au goût Sel et poivre
- ❖ Chili (facultatif)

PAS

1. Tout d'abord, l'oignon est coupé en rondelles et mis dans l'eau pour que l'épice disparaisse
2. Les chorizos sont démêlés pour cela, les tripes ou la doublure sont enlevées et mélangées à la viande
3. La tomate est pelée et coupée en grosses coquilles 4. L'avocat est pelé et coupé en flocons
5. Rôtir le paprika sur le côté de la coquille jusqu'à ce qu'il soit noir et pelé, coupé en julienne
6. Les feuilles de laitue sont enlevées et très bien lavées
7. Faites trois hamburgers par personne avec la viande, plus ou moins de 1 1/2 CM. Large et 4 CM de diamètre, n'oubliez pas de faire le pli au centre pour qu'ils ne rétrécissent pas
8. Il commence à faire griller le pain pita avant que je le donne habituellement à un pain humidifié avec de l'eau saupoudrée avec la main pour qu'il ne casse pas
9. Ils mettent les hamburgers à griller, comme on le sait, ils ne tournent qu'une seule fois, et le moment

est que le sang germe sur le dessus, et ils ajoutent une touche de sel.

10. Le fromage est râpé
11. Les hamburgers sont retournés
12. Avec beaucoup de soin et à l'aide d'un couteau dentelé, les pitas sont ouverts et écrasés, ou de la pâte de tomate est étalée dessus.
13. Puis les autres ingrédients!
14. Enfin, le fromage et la viande.

4. Pâtes et salade méditerranéenne

Ingrédients

- ❖ 2 tasses de pâtes penne
- ❖ Sauce béchamel
- ❖ Parmesan
- ❖ 1 portion de poitrine de poulet
- ❖ Laitue croustillante
- ❖ Épinard
- ❖ Tomates
- ❖ Oignon violet

- ❖ Vinaigrette grecque
- ❖ Pour la béchamel
- ❖ 1 tasse de lait
- ❖ 2 dents d'ail écrasé
- ❖ Oignon blanc râpé
- ❖ 1 pincée de farine de blé
- ❖ 2 cuillères à soupe de vin blanc (facultatif)

Pour la vinaigrette

- ❖ Yaourt grec ou yogourt blanc non sucré
- ❖ 3 dents d'ail
- ❖ Un jus de citron
- ❖ 1/2 concombre coupé en petits carrés
- ❖ Aneth séché (facultatif)
- ❖ Mélangez le tout et laissez reposer au réfrigérateur pendant au moins une heure

PAS

- ❖ Cuire les pâtes pendant 12 minutes et égoutter.
- ❖ Pour la béchamel, faites revenir l'ail et l'oignon râpé dans une poêle avec de l'huile d'olive; quand tout est doré, ajoutez une demi-cuillère à café de farine et mélangez, puis ajoutez le lait, le sel et l'origan et mélangez, laissez à feu moyen / doux jusqu'à épaississement.
- ❖ Il est ajouté aux pâtes, avec le parmesan, puis la salade est servie et la vinaigrette est ajoutée. Ce plat peut être servi avec du poulet grillé.

5. Garniture de pain méditerranéen

Ingrédients
- ❖ jambon serrano
- ❖ les fromages
- ❖ Chorizo espagnol
- ❖ Sauce tartare, moutarde, mayonnaise

PAS
- ❖ Coupez-le en deux et ouvrez les deux côtés sans séparer. Déposer une couche de chorizo

espagnol, tartiner généreusement de sauce tartare et de moutarde ou de sauces à votre goût sur les deux tapas.

❖ Une couche de fromage de votre choix, de la mozzarella, du gouda, du hollandais, une couche de jambon Serrano et couvrir avec l'autre couvercle. Nous fermons et ...

❖ On prend un coup de chaleur au micro-onde et on déguste une délicatesse du paradis, divine, ça sert pour le dîner, c'est une assiette pleine avec une salade, ça sert pour le déjeuner.

6. Poulet grillé avec salade grecque de quinoa

Ingrédients

- ❖ 1 tasse de quinoa
- ❖ 25g de beurre
- ❖ 1 piment rouge, épépiné et haché finement
- ❖ 1 gousse d'ail écrasée
- ❖ 400g de mini filets de poulet
- ❖ 1½ cuillère à soupe d'huile d'olive extra vierge
- ❖ 300g de tomate de vigne, hachée grossièrement

- ❖ poignée d'olive Kalamata noire dénoyautée
- ❖ 1 oignon rouge, tranché finement
- ❖ 100g de fromage feta émietté
- ❖ petit bouquet de feuilles de menthe, hachées
- ❖ jus et zeste ½ citron

PAS

1. Chauffer l'huile dans une casserole, ajouter l'oignon et cuire 5 à 10 minutes jusqu'à ce qu'il soit tendre. Ajouter l'ail et l'origan et cuire 1 min. Ajouter les tomates et les poivrons, bien assaisonner et laisser mijoter doucement 10 min.

2. Pendant ce temps, faites cuire les pommes de terre dans une casserole d'eau bouillante salée pendant 10 à 15 minutes jusqu'à ce qu'elles soient tendres. Bien égoutter, mélanger avec la sauce et servir chaud, saupoudré d'olives et de basilic.

7.Salade de pommes de terre méditerranéenne.

INGRÉDIENTS

- ❖ 1 cuillère à soupe d'huile d'olive
- ❖ 1 petit oignon, tranché finement
- ❖ 1 gousse d'ail, détruite
- ❖ 1 cuillère à café d'origan, frais ou sec
- ❖ ½ boîte de 400g de tomates cerises
- ❖ 100g de poivrons rouges grillés, en pots, tranchés
- ❖ 300g de pommes de terre nouvelles, coupées en deux si grosses
- ❖ Olive noire 25g, tranchée

❖ Feuilles de basilic à main

PAS

1. Chauffer l'huile dans la poêle, ajouter les oignons et cuire 5 à 10 minutes jusqu'à ce qu'ils soient tendres. Ajouter l'ail et l'origan et cuire 1 minute.
Ajouter les tomates et le paprika, bien assaisonner et laisser mijoter doucement pendant 10 minutes.
2. Pendant ce temps, cuire les pommes de terre dans la casserole d'eau salée bouillies pendant 10 à 15 minutes jusqu'à ce qu'elles soient tendres. Bien égoutter, mélanger avec la sauce et servir chaud, saupoudré d'olives et de basilic.

8.Courgette et poivron farci au quinoa

Ingrédients

- ❖ 4 poivrons rouges
- ❖ 1 courgette, coupée en quartiers dans le sens de la longueur et tranchée finement
- ❖ 2 paquets de 250g de quinoa prêt-à-manger
- ❖ 85g de fromage feta, finement émietté
- ❖ une poignée de persil, haché grossièrement

PAS

1. Chauffer le four à 200C / 180C ventilateur / gaz 6. Couper chaque poivron en deux à travers la tige et retirer les graines. Mettez les poivrons, côté coupé vers le haut, sur une plaque à pâtisserie, arrosez de 1 cuillère à soupe d'huile d'olive et assaisonnez bien. Rôtir pendant 15 minutes.

2. Pendant ce temps, faites chauffer 1 cuillère à café d'huile d'olive dans une petite poêle, ajoutez les courgettes et faites cuire jusqu'à ce qu'elles soient tendres. Retirer du feu, puis incorporer le quinoa, la feta et le persil - assaisonner de poivre.

3. Répartir le mélange de quinoa entre les moitiés de poivron, puis remettre au four pendant 5 minutes pour bien chauffer. Servir avec une salade verte, si vous le souhaitez.

9. quartiers d'omelette au bacon et brie avec une salade d'été

Ingrédients
- ❖ 2 cuillères à soupe d'huile d'olive
- ❖ 200g de lardons fumés
- ❖ 6 œufs, légèrement battus
- ❖ petit bouquet de ciboulette ciselée
- ❖ 100g de brie tranché
- ❖ 1 cuillère à café de vinaigre de vin rouge
- ❖ 1 cuillère à café de moutarde de Dijon

- ❖ 1 concombre, coupé en deux, épépiné et tranché en diagonale
- ❖ 200g de radis coupés en quartiers

PAS

1. Allumez le gril et faites chauffer 1 cuillère à soupe d'huile dans une petite casserole. Ajouter les lardons et faire frire jusqu'à ce qu'ils soient croustillants et dorés. Égoutter sur du papier absorbant.

2. Faites chauffer 2 cuillères à soupe d'huile dans une poêle antiadhésive. Mélangez les œufs, les lardons, la ciboulette et un peu de poivre noir moulu. Verser dans la poêle, cuire à feu doux jusqu'à mi-prise, puis déposer le brie sur le dessus. Griller jusqu'à ce qu'ils soient pris et dorés. Retirer de la poêle et couper en quartiers juste avant de servir.

3. Pendant ce temps, mélangez le reste de l'huile d'olive, le vinaigre, la moutarde et l'assaisonnement dans un bol. Incorporer le concombre et les radis et servir avec les quartiers d'omelette.

10. Escalopes d'agneau aux herbes et légumes rôtis

Ingrédients

- ❖
- ❖

- ❖
    1 oignon coupé en tranches
    1 cuillère à soupe d'huile d'olive
- ❖ 8 tranches mouton maigre
    1 cuillère à soupe de feuilles de thym, hachées
- ❖ 2 cuillères à soupe de feuilles de menthe, hachées

PAS

1. Chauffer le four à 220C / 200C ventilateur / gaz 7. Placer les poivrons, patates douces, cukit et oignons sur de grands plateaux à gâteaux et arroser d'huile. Assaisonner avec beaucoup de poivre noir. Cuire au four pendant 25 minutes.

2. Pendant ce temps, coupez le plus de graisses possible. Mélangez les herbes avec quelques courbures de poivre noir et tapotez tous les moutons.

3. Sortez les légumes du four, retournez-les et poussez un côté du plateau. Placer la côtelette sur le plateau chauffant et remettre au four pendant 10 minutes.

4. Retourner la côtelette et cuire plus de 10 minutes ou jusqu'à ce que les légumes et les moutons soient tendres et légèrement brûlés. Mélangez le tout sur un plateau et servez.

11. Chorizo pilaf

✿ 1 cuillère à soupe d'huile d'olive
1 gros oignon, tranché finement
250g de chorizo de cuisson pour bébé, tranché
4 gousses d'ail, détruites

Ingrédients

- ❖
- ❖

- ❖
- ❖ 1 cuillère à café de paprika fumant ❖ 400g peuvent couper des tomates ❖ Riz basmati 250g.
- ❖ Stock 600ml.
- ❖ 1 citron, zeste pelé en lanières épaisses, plus tranches à servir
- ❖ 2 feuilles de laurier fraîches
- ❖ Petit bouquet de persil, haché

PAS

1. Faites chauffer l'huile dans une grande poêle avec le couvercle. Ajouter les oignons et cuire 5 à 8 minutes jusqu'à ce qu'ils soient tendres et dorés. Poussez sur le côté de la casserole et ajoutez le chorizo. Cuire jusqu'à ce que du chocolat léger et de l'huile soit libéré dans une poêle.

2. Ajouter l'ail et les poivrons, puis les tomates. Faire bouillir à feu moyen pendant 5 minutes, puis ajouter le riz, le bouillon, le zeste de citron et les feuilles de laurier. Mélangez bien le tout et portez à ébullition. Mettez le couvercle et faites cuire à feu très doux pendant 12 min.

3. Éteignez le feu et laissez reposer et cuire à la vapeur pendant 10 à 15 minutes. Incorporer le persil et servir avec des quartiers de citron à presser.

12 Toasts aux haricots larges et au fromage feta

350g de fèves, fraîches ou surgelées

100g de fromage feta (ou alternative végétarienne), égoutté

2 cuillères à soupe de feuilles de menthe hachées ou râpées

❖ 1 cuillère à soupe d'huile d'olive extra vierge

Ingrédients

- ❖
- ❖

- ❖
- ❖ 50g de sachet de feuilles de salade mélangées
- ❖ 10 tomates cerises, coupées en deux
- ❖ 1 cuillère à café de jus de citron
- ❖ 4 fines tranches de baguettes (blanches ou brunes)

PAS

1. Faites bouillir une petite casserole. Ajouter les noix, remettre à ébullition et cuire 4 minutes. Videz le filtre sous le débit d'eau jusqu'à ce qu'il soit froid. Pressez chaque haricot de la peau dans un bol.
2. Émietter la Feta et étendre les feuilles de la saison de la menthe en broyant les poivrons noirs et arroser de 2 cuillères à soupe d'huile. Remuez ensemble.
3. Mélangez la salade et les feuilles de tomate avec l'huile d'olive et le jus de citron restant - puis entre 2 assiettes. Pain de pain sous le gril ou dans un grille-pain jusqu'à ce qu'il soit doré et croustillant des deux côtés. Pour servir, une cuillère mélangée de noix et de fromage au pain grillé et placez-le à côté de la salade.

13.Caponata

Ingrédients

- ❖
- ❖

Pour la caponata
100 ml d'huile d'olive

- ❖ 3 grosses aubergines, coupées en cubes de 2 cm
- ❖ 2 longues échalotes, hachées
- ❖ 4 grosses tomates italiennes, hachées
- ❖ 2 cuillères à café de câpres, trempées si salées
- ❖ 50g de raisin sec
- ❖ 4 branches de céleri, tranchées
- ❖ 50 ml de vinaigre de vin rouge
- ❖ poignée de pignons de pin grillés et de feuilles de basilic
- ❖ Pour la bruschetta
- ❖ 8 tranches de ciabatta
- ❖ huile d'olive pour arroser
- ❖ 1 gousse d'ail

PAS

1. Versez l'huile d'olive dans une casserole ou une casserole à fond épais, placez-la sur feu moyen et ajoutez l'aubergine. Faites cuire 15 à 20 minutes jusqu'à ce qu'elles soient tendres. La cuillère d'aubergine sort de la poêle - vous devez vous retrouver avec de l'huile d'olive. Ajouter les échalotes et cuire environ 5 minutes jusqu'à ce qu'elles soient tendres et transparentes. Ajouter les tomates et cuire lentement pour qu'elles se décomposent, se transforment en bouillie molle, puis remettez l'aubergine dans la poêle. Maintenant, mettez les câpres, les raisins secs, le céleri, le vinaigre, et couvrez avec le couvercle. Cuire à feu doux pendant 40 minutes, jusqu'à ce que tous les légumes soient tendres. Remuez

doucement, pour qu'il ne soit pas trop cassé; Le ragoût doit avoir une odeur aigre-douce.

2. Lorsque la caponata est cuite, laissez-la un peu froide lorsque vous faites une bruschetta. Faites chauffer une poêle, arrosez le pain d'huile d'olive et faites griller jusqu'à ce que le pain grillé et carbonisé légèrement des deux côtés, puis frottez avec les gousses et l'ail assaisonner. Servir la caponata chaude avec des feuilles de basilic et des pignons de pin, accompagnée de bruschetta.

14.Salade méditerranéenne de figues et mozzarella

Ingrédients

- ❖ 200g de haricots verts fins, parés
- ❖ 6 petites figues coupées en quartiers
- ❖ 1 échalote, tranchée finement
- ❖ x boule de mozzarella égouttée et déchirée en morceaux

- ❖ 50g de noisettes grillées et hachées
- ❖ petite poignée de feuilles de basilic, déchirées
- ❖ 3 cuillères à soupe de vinaigre balsamique
- ❖ 1 cuillère à soupe de confiture de figues ou de relish
- ❖ 3 cuillères à soupe d'huile d'olive extra vierge

PAS

1. Dans une grande casserole d'eau salée, blanchir les haricots pendant 2-3 minutes. Égoutter, rincer à l'eau froide, puis égoutter sur du papier absorbant. Réglez l'assiette. Garnir de figue, d'échalotes, de mozzarella, de noisette et de basilic.
2. Dans un petit bol ou un pot de congestion avec un couvercle approprié, ajoutez le vinaigre, la confiture de figues, l'huile d'olive et les épices.
Bien battre et verser la salade avant de servir.

15.Poisson enveloppé de pancetta avec pommes de terre citronnées

Ingrédients

- ❖ 300g de pomme de terre nouvelle
- ❖ 100g de haricots verts
- ❖ une petite poignée d'olives noires kalamata
- ❖ zeste et jus 1 citron
- ❖ 2 cuillères à soupe d'huile d'olive
- ❖ 2 gros filets de goberge ou un autre poisson blanc durable
- ❖ 4 tranches de pancetta ou de bacon fumé fumé finement tranché
- ❖ quelques brins d'estragon partent cueillis

PAS

1. Chauffer le four à 200C / 180C ventilateur / gaz 6. Placer les pommes de terre dans une casserole d'eau et faire bouillir pendant 10-12 minutes jusqu'à tendreté. Ajoutez les haricots pour les 23 dernières minutes. Bien égoutter et couper les pommes de terre en deux. Versez dans un plat de cuisson spacieux et mélangez avec les olives, le zeste de citron et l'huile. Assaisonnez bien.

2. Assaisonnez le poisson et enveloppez-le de pancetta ou de bacon. Déposer sur les pommes de terre. Cuire au four pendant 10 à 12 minutes jusqu'à cuisson complète, puis ajouter un filet de jus de citron et parsemer d'estragon avant de servir.

16.Polenta, légumes rôtis et chips de parmesan poivré

Ingrédients
- ❖ 1 petite courge musquée (environ 450 g), pelée et coupée en cubes de 2 cm

- ❖ 3 betteraves crues (environ 200g), coupées en cubes de 2cm
- ❖ 2 petits oignons rouges, coupés en quartiers minces
- ❖ 3 cuillères à soupe d'huile d'olive
- ❖ jus de ½ citron
- ❖ 200g de polenta fine
- ❖ ½ cuillère à café de sel
- ❖ 50g de beurre
- ❖ 60g de fromage râpé (nous avons utilisé un mélange 50/50 de parmesan et de Taleggio)
- ❖ une grosse poignée de roquettes, pour servir
- ❖ 2 cuillères à café de feuilles de thym fraîchement cueillies
- ❖ Pour les chips au parmesan
- ❖ 50g de parmesan râpé

PAS

1. Pour faire les chips, baissez le four à 200 ° C / 180 ° C ventilateur / gaz 6. Assaisonnez le parmesan râpé avec une grosse pincée de poivre noir et répartissez uniformément sur une plaque à pâtisserie recouverte d'une feuille de silicone ou de papier sulfurisé légèrement huilé et faites cuire pendant 5 minutes, jusqu'à ce qu'elles soient dorées mais non dorées. Après avoir refroidi pendant cinq minutes, casser en morceaux croustillants avec vos doigts.

2. Allumez le four à 220C / 200C ventilateur / gaz. 7. Mélangez les morceaux de courge et de betterave dans le jus de citron et l'huile, assaisonnez légèrement avec du sel et du poivre et faites cuire dans un plat à rôtir pendant 20 minutes. Ajouter les quartiers d'oignon et

poursuivre la cuisson pendant encore 25 minutes.

3. Pendant ce temps, faites mijoter un litre d'eau, du sel et la moitié du beurre dans une grande casserole, puis ajoutez lentement la polenta en un fin filet en remuant tout le temps. Continuez à mijoter à feu doux pendant 35 minutes (ou selon les instructions si vous utilisez de la polenta à cuisson rapide), en remuant souvent pour éviter qu'elle ne colle au fond. La polenta doit être épaissie mais toujours molle à ce stade. S'il commence à trop sécher, ajoutez une tasse d'eau. Une fois cuit, incorporer le reste du beurre, le parmesan et le Taleggio et une pincée de poivre blanc.

4. Pour servir, déposer la polenta sur une planche ou sur des assiettes, répartir sur les légumes et le jus de rôtissage, puis la roquette et le thym. Rentrez les chips de parmesan entre les légumes et mangez chaud.

17.Épinards au piment et chapelure de citron

Ingrédients

❖

25g de beurre
- ❖ 100g de chapelure fraîche
- ❖ zeste 1 citron
- ❖ 2 gousses d'ail écrasées
- ❖ 1 piment rouge, haché finement
- ❖ 500g d'épinards

PAS

1. Faites fondre le beurre dans une grande poêle, puis quand il commence à mousser, ajoutez la chapelure, le zeste, l'ail et le piment. Cuire jusqu'à ce qu'il soit doré et croquant. Retirer de la poêle, assaisonner et réserver.
2. Ajouter les épinards à la poêle et flétrir en remuant. Assaisonner et servir avec des miettes croquantes saupoudrées sur le dessus.

18.Plateau de poulet méditerranéen

Ingrédients

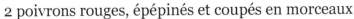

- 2 poivrons rouges, épépinés et coupés en morceaux
- 1 oignon rouge, coupé en quartiers
- 2 cuillères à café d'huile d'olive
- 4 poitrines de poulet avec la peau
- ½ paquet de 150 g de fromage à l'ail entier et aux fines herbes
- Paquet de 200g de tomates cerises
- poignée d'olives noires

PAS

1. Chauffer le four à 200C / 180C ventilateur / gaz 6. Mélanger les poivrons et l'oignon sur une grande plaque à pâtisserie avec la moitié de l'huile. Transférer au four et cuire sur la grille du haut pendant 10 min.

2. Pendant ce temps, faites soigneusement une poche entre la peau et la chair de chaque poitrine de poulet, mais ne retirez pas complètement la peau. Poussez des quantités égales de fromage sous la peau, lissez la peau vers le bas, badigeonnez-la avec le reste de l'huile, assaisonnez et ajoutez dans le plateau, les tomates et les olives. Remettre au four et cuire encore 25 à 30 minutes jusqu'à ce que le poulet soit doré et cuit. Servir avec des pommes de terre au four, si vous le souhaitez.

19.Moules aux tomates et chili

2 tomates mûres
- ❖ 2 cuillères à soupe d'huile d'olive
- ❖ 1 gousse d'ail finement hachée
- ❖ 1 échalote, hachée finement
- ❖ 1 piment rouge ou vert, épépiné et haché finement
- ❖ petit verre de vin blanc sec
- ❖ 1 cuillère à café de concentré de tomate
- ❖ pincée de sucre
- ❖ 1kg de moules nettoyées

Ingrédients

- ❖ une bonne poignée de feuilles de basilic

PAS

1. Mettez les tomates dans un bol résistant à la chaleur. Couvrir d'eau bouillante, laisser reposer 3 min, égoutter et peler. Coupez les tomates en quartiers, retirez-les et jetez les graines à l'aide d'une cuillère à café. Hachez grossièrement la chair de la tomate.

2. Faites chauffer l'huile dans une grande poêle avec un couvercle hermétique. Ajouter l'ail, l'échalote et le piment, puis faire revenir doucement pendant 2-3 minutes jusqu'à ce qu'ils soient ramollis. Versez le vin et ajoutez les tomates, la pâte, le sucre et l'assaisonnement (les moules sont naturellement salées alors faites attention avec le sel). Remuez bien et laissez mijoter 2 min.

3. Versez les moules et remuez-les. Couvrir hermétiquement et cuire à la vapeur pendant 34 minutes, en secouant la casserole à mi-cuisson, jusqu'à ce que les coquilles se soient ouvertes.

4. Jeter les coquilles qui restent fermées, répartir les moules dans deux bols et ajouter les feuilles de basilic. Fournissez un grand bol pour les coquilles vides.

20.Poivrons rôtis aux tomates et anchois

Ingrédients

- ❖ 4 poivrons rouges, coupés en deux et épépinés
- ❖ 50g peuvent utiliser de l'anchois dans l'huile, égoutté
- ❖ 8 petites tomates, coupées en deux
- ❖ 2 gousses d'ail, tranchées finement
- ❖ 2 brins de romarin
- ❖ 2 cuillères à soupe d'huile d'olive

PAS

1. Chauffer le four à 160C / 140C ventilateur / gaz 3. Mettre le paprika sur une grande plaque à pâtisserie, mélanger avec un peu d'huile d'anchois, puis tourner le côté coupé. Cuire au four pendant 40 minutes, jusqu'à ce qu'il soit mou mais qu'il ne s'effondre pas.

2. Iris 8 anchois sur toute la longueur. Placez 2 parties de tomate, des tranches d'ail, des petits volants de romarin et deux morceaux d'anchois dans chaque trou de poivron. Arrosez d'huile d'olive, puis faites rôtir à nouveau pendant 30 minutes jusqu'à ce que les tomates soient tendres et que les poivrons soient remplis de flaques de jus savoureux. Laisser refroidir et servir tiède ou à température ambiante.

21.Poulet méditerranéen aux légumes rôtis

Ingrédients

- ❖ 250g de petites pommes de terre nouvelles, tranchées finement
- ❖ 1 grosse courgette, tranchée en diagonale
- ❖ 1 oignon rouge, coupé en quartiers
- ❖ 1 poivron jaune, épépiné et coupé en morceaux
- ❖ 6 tomates italiennes fermes, coupées en deux

- ❖ 12 olives noires dénoyautées
- ❖ 2 filets de poitrine de poulet désossés et sans peau, d'environ 150 g / 5 oz chacun
- ❖ 3 cuillères à soupe d'huile d'olive
- ❖ 1 cuillère à soupe de pesto vert

PAS

1. Préchauffer le four à 200 ° C / gaz 6 / four ventilé à 180 ° C. Répartir les pommes de terre, les courgettes, l'oignon, le poivron et les tomates dans un plat à rôtir peu profond et parsemer sur les olives. Assaisonner de sel et de poivre noir rugueux.

2. Tebas viande chaque poitrine de poulet 3-4 fois à l'aide d'un couteau bien aiguisé, puis placez le poulet sur les légumes.

3. Mélanger l'huile d'olive et le pesto jusqu'à ce que le tout soit bien mélangé et que la cuillère soit uniformément sur le poulet. Couvrir la boîte de papier d'aluminium et cuire 30 minutes.

4. Retirez le papier d'aluminium de la boîte. Remettre au four et cuire 10 minutes jusqu'à ce que les légumes soient coulants et aient l'air tentants de manger et de poulet cuit (le jus doit couler clairement lorsqu'il est poignardé avec une brochette).

22. tranches méditerranéennes

Paquet de 375g de pâte feuilletée prête à l'emploi
4 cuillères à soupe de pesto vert
❖ 1 tasse de poivrons grillés tranchés surgelés
❖ 140g d'artichauts surgelés (environ 3 quartiers par portion)
❖ 125g de boule de mozzarella ou 85g de cheddar râpé

PAS

1. Chauffer le four à 200 ° C / ventilateur 180 ° C / gaz 6. Ouvrez le rouleau à gâteau et coupez-le en 4 rectangles. Prenez un couteau bien aiguisé et une entaille de 1 cm dans chaque rectangle, veillez à ne pas couper le gâteau. Placez-le sur une plaque à pâtisserie.

2. Étalez 1 HR de pesto sur chaque tranche, restez à l'intérieur de la bordure, puis empilez le paprika et l'artichaut. Cuire au four pendant 15 minutes jusqu'à ce que le gâteau commence à dorer.

3. Déchirez la boule de mozzarella en petits morceaux, puis dispersez-la (ou utilisez du cheddar, si vous le souhaitez) sur les légumes. Remettre au four pendant 5 à 7 minutes jusqu'à ce que la pâte soit croustillante et que le fromage ait fondu. Servir avec une salade verte.

Ingrédients

❖
❖

23.Poivrons farcis faciles

4 poivrons rouges

2 x sachets de riz aux tomates cuit (nous avons utilisé la tomate méditerranéenne Tilda Rizazz)

❖ 2 cuillères à soupe de pesto

❖ poignée d'olives noires dénoyautées, hachées

❖ 200g de fromage de chèvre, tranché

PAS

1. À l'aide d'un petit couteau, coupez le dessus de 4 poivrons rouges, puis retirez les graines. Mettre les poivrons sur une assiette, côté coupé vers le haut, et cuire au micro-ondes à puissance élevée pendant 5 à 6 minutes jusqu'à ce qu'ils soient fanés et ramollis.

2. Pendant la cuisson des poivrons, mélanger deux sachets de 250g de riz aux tomates cuit avec 2 cuillères à soupe de pesto et une poignée d'olives noires dénoyautées hachées et 140g de fromage de chèvre tranché.

3. Versez le riz, le pesto, les olives et le mélange de fromage de chèvre dans les poivrons, garnissez des 60 g de fromage de chèvre en tranches restants et continuez à cuire pendant 8 à 10 minutes.

Ingrédients

❖
❖

24 Moules croustillantes au four

1kg de moules dans leurs coquilles
50g de chapelure grillée
❖ zeste 1 citron
❖ 100g de beurre à l'ail et au persil

PAS
1. Frottez les moules et arrachez les barbes. Rincer dans plusieurs changements d'eau froide, puis jeter ceux qui sont ouverts et qui ne se ferment pas lorsqu'ils sont tapés contre le côté de l'évier.
2. Égouttez les moules et mettez-les dans une grande casserole avec un peu d'eau. Porter à ébullition, puis couvrir la casserole, en secouant de temps en temps, jusqu'à ce que les moules soient ouvertes - cela prendra 2-3 minutes. Bien égoutter, puis jeter ceux qui restent fermés - chauffer le gril à Élevé.
3. Mélangez les miettes et le zeste. Retirez un côté de chaque coquille, puis étalez un peu de beurre sur chaque moule. Mettre sur une plaque à pâtisserie et saupoudrer de chapelure. Griller pendant 3-4 minutes jusqu'à ce qu'ils soient croustillants.

Ingrédients

❖
❖

25.Aïoli

petite pincée de brins de safran
3 gousses d'ail écrasées

- ❖ 2 jaunes d'oeuf
- ❖ 1 cuillère à soupe de moutarde de Dijon
- ❖ 300 ml d'huile d'olive

MARCHER

1. Dans un petit bol, versez 1 cuillère à soupe d'eau bouillante sur le curcuma et réservez. Placez l'ail, les jaunes d'œufs et la moutarde dans un robot culinaire ou un mélangeur. Blitz est devenu une pâte et a doucement coulé dans l'huile d'olive pour faire une sauce mayonnaise épaisse. Lorsque tout est réuni, ajoutez le safran, le curcuma, le jus de citron et assaisonnez selon vos goûts. L'aïoli continuera à être conservé au réfrigérateur jusqu'à 2 jours.

Ingrédients

26. Salade de pastèque et feta avec pain croustillant

Ingrédients

- ❖
- ½ pastèque (environ 1,5 kg), pelée, épépinée et coupée en morceaux
- ❖ 200g de fromage feta en bloc, coupé en cubes
- ❖ grosse poignée d'olives noires
- ❖ une poignée de persil plat et de feuilles de menthe, hachées grossièrement
- ❖ 1 oignon rouge, finement coupé en rondelles
- ❖ huile d'olive et vinaigre balsamique, pour servir
- ❖ Pour le pain croustillant
- ❖ ½ paquet de 500g de mélange à pain blanc
- ❖ 1 cuillère à soupe d'huile d'olive, plus un peu plus pour arroser
- ❖ farine ordinaire pour saupoudrer
- ❖ 1 blanc d'oeuf battu
- ❖ un mélange de graines de sésame, de graines de pavot et de graines de fenouil pour la dispersion

PAS

1. Préparez le pain selon les instructions de l'emballage avec 1 cuillère à soupe d'huile d'olive. Laisser lever dans un endroit chaud pendant environ 1 heure jusqu'à ce qu'il double de volume. Chauffer le four à 220C / 200C ventilateur / gaz 7. Renverser le pain et le diviser en 6 morceaux. Sur une surface farinée, rouler les morceaux de pain le plus finement possible, puis les transférer sur des plaques à pâtisserie. Badigeonner avec le blanc d'œuf et parsemer des graines mélangées. Cuire au four environ 15 minutes jusqu'à ce qu'elles soient croustillantes et dorées; s'ils gonflent, c'est encore mieux. Vous

devrez peut-être effectuer cette opération par lots. Les morceaux de pain peuvent être confectionnés la veille et conservés dans un récipient hermétique.

2. Dans un grand bol de service, mélanger légèrement le melon avec la feta et les olives. Répartir sur les herbes et les rondelles d'oignon, puis servir avec l'huile d'olive et le balsamique pour arroser. Servir le tas de pains croustillants sur le côté pour casser et utiliser pour ramasser la salade.

27 Calmar croustillant avec caponata

Ingrédients

- ❖ 800g de tubes de calmar nettoyés (environ 3 gros tubes)
- ❖ 150g de farine tout usage
- ❖ 1 cuillère à soupe de piment de Cayenne ou de poudre de chili
- ❖ huile de tournesol pour la friture
- ❖ Pour la caponata
- ❖ 1 grosse aubergine
- ❖ 4 cuillères à soupe d'huile d'olive extra vierge
- ❖ 1 oignon, haché
- ❖ 3 branches de céleri, tranchées
- ❖ 250g de tomates cerises
- ❖ 3 gousses d'ail écrasées
- ❖ 1 cuillère à café de sucre en poudre
- ❖ 1 cuillère à soupe de vinaigre balsamique
- ❖ 150g d'olives vertes dénoyautées
- ❖ 30g de câpres, rincées si salées
- ❖ poignée de feuilles de basilic, râpées

PAS

1. Pour préparer les calmars, posez-les à plat à bord. Insérez un long couteau fin dans l'ouverture et coupez-le soigneusement le long d'un côté. Ouvrez-le sur une feuille plate et grattez les restes de membrane. Utilisez la pointe du couteau pour marquer légèrement la chair en losange, en prenant soin de ne pas couper complètement le calmar. Coupez les calmars

entaillés en grands triangles prêts à être farinés et frits.

Pour la caponata, l'aubergine doit être coupée en dés uniformes:

- Coupez-le en longueur d'environ 1 cm d'épaisseur.
- Coupez de longues bandes de la même taille.
- Coupez-les en carrés.

2. Faites chauffer la moitié de l'huile dans une grande sauteuse. Faites frire les oignons pendant 3-4 minutes jusqu'à ce qu'ils commencent à ramollir, ajoutez l'aubergine, puis continuez à cuire pendant 8-10 minutes jusqu'à ce qu'ils soient bruns et tendres. Versez dans une passoire au-dessus d'un bol.

3. Versez l'huile du bol dans la poêle et ajoutez un peu d'huile fraîche. Faites frire le céleri, les tomates et l'ail écrasé ensemble. Saupoudrer de sucre, ajouter le vinaigre, puis cuire 3-4 min jusqu'à ce que les tomates commencent à libérer leur jus.

4. Remettez l'aubergine et l'oignon avec le céleri. Ajoutez les olives, les câpres et le basilic, puis remuez bien le tout. Cuire 5 minutes jusqu'à frémissement, puis assaisonner au goût. Éteignez le feu, arrosez le reste de l'huile, puis réservez.

5. Juste avant la cuisson, versez les calmars dans un grand bol. Tamiser ensemble la farine et le poivre de Cayenne sur les calamars, bien mélanger et assaisonner avec SaltSalt. Remettez les calamars dans le tamis et secouez tout l'excès de farine.

6. Versez suffisamment d'huile de tournesol dans une grande poêle à frire, donc environ 1 cm de profondeur. Faites chauffer l'huile jusqu'à ce qu'elle grésille lorsqu'elle est saupoudrée d'un peu de farine. Par lots, faites frire les calmars pendant 2-3 minutes de chaque côté jusqu'à ce qu'ils soient dorés et croustillants. Une fois cuits, utilisez des pinces pour soulever les calmars sur une assiette tapissée de papier absorbant. Vous êtes maintenant prêt à servir.

7. Versez la caponata dans un anneau métallique de 10 cm de large (ou faites simplement une pile soignée) au milieu d'une assiette moyenne. Utilisez le dos de la cuillère pour appuyer légèrement sur la caponata et niveler le haut de la pile. Soulevez soigneusement l'anneau, en gardant la tour de caponata circulaire. Apprenez cinq ou six morceaux de calmar autour de la caponata comme des pétales sur une fleur, puis servez immédiatement.

28. MÉDITERRANÉEN calamar

Ingrédients

- ❖ 800g de tubes de calmar nettoyés (environ 3 gros tubes)
- ❖ 150g de farine tout usage

- ❖ 1 cuillère à soupe de piment de Cayenne ou de poudre de chili
- ❖ huile de tournesol pour la friture
- ❖ Pour la caponata
- ❖ 1 grosse aubergine
- ❖ 4 cuillères à soupe d'huile d'olive extra vierge
- ❖ 1 oignon, haché
- ❖ 3 branches de céleri, tranchées
- ❖ 250g de tomates cerises
- ❖ 3 gousses d'ail écrasées
- ❖ 1 cuillère à café de sucre en poudre
- ❖ 1 cuillère à soupe de vinaigre balsamique
- ❖ 150g d'olives vertes dénoyautées
- ❖ 30g de câpres, rincées si salées
- ❖ poignée de feuilles de basilic, râpées

PAS

1. Pour préparer les calmars, posez-les à plat à bord. Insérez un long couteau fin dans l'ouverture et coupez-le soigneusement le long d'un côté. Ouvrez-le sur une feuille plate et grattez les restes de membrane. Utilisez la pointe du couteau pour marquer légèrement la chair en losange, en prenant soin de ne pas couper complètement le calmar. Coupez les calmars entaillés en grands triangles prêts à être farinés et frits.

Pour la caponata, l'aubergine doit être coupée en dés uniformes:

- Coupez-le en longueur d'environ 1 cm d'épaisseur.
- Coupez de longues bandes de la même taille.
- Coupez-les en carrés.

2. Faites chauffer la moitié de l'huile dans une grande sauteuse. Faites frire les oignons pendant 3-4 minutes jusqu'à ce qu'ils commencent à ramollir, ajoutez l'aubergine, puis continuez à cuire pendant 8-10 minutes jusqu'à ce qu'ils soient bruns et tendres. Versez dans une passoire au-dessus d'un bol.

3. Versez l'huile du bol dans la poêle et ajoutez un peu d'huile fraîche. Faites frire le céleri, les tomates et l'ail écrasé ensemble. Saupoudrer de sucre, ajouter le vinaigre, puis cuire 3-4 min jusqu'à ce que les tomates commencent à libérer leur jus.

4. Remettez l'aubergine et l'oignon avec le céleri. Ajoutez les olives, les câpres et le basilic, puis remuez bien le tout. Cuire 5 minutes jusqu'à frémissement, puis assaisonner au goût.
Éteignez le feu, arrosez le reste de l'huile, puis réservez.

5. Juste avant la cuisson, versez les calmars dans un grand bol. Tamiser ensemble la farine et le poivre de Cayenne sur les calamars, bien mélanger et assaisonner avec SaltSalt. Remettez

les calamars dans le tamis et secouez tout l'excès de farine.

6. Versez suffisamment d'huile de tournesol dans une grande poêle à frire, donc environ 1 cm de profondeur. Faites chauffer l'huile jusqu'à ce qu'elle grésille lorsqu'elle est saupoudrée d'un peu de farine. Par lots, faites frire les calmars pendant 2-3 minutes de chaque côté jusqu'à ce qu'ils soient dorés et croustillants. Une fois cuits, utilisez des pinces pour soulever les calmars sur une assiette tapissée de papier absorbant. Vous êtes maintenant prêt à servir.

7. Versez la caponata dans un anneau métallique de 10 cm de large (ou faites simplement une pile soignée) au milieu d'une assiette moyenne. Utilisez le dos de la cuillère pour appuyer légèrement sur la caponata et niveler le haut de la pile. Soulevez soigneusement l'anneau, en gardant la tour de caponata circulaire. Apprenez cinq ou six morceaux de calmar autour de la caponata comme des pétales sur une fleur, puis servez immédiatement.

29. Scones méditerranéens

Ingrédients

- ❖ 8 figues, coupées en deux
- ❖ 2 cuillères à soupe de beurre
- ❖ 2 cuillères à soupe de miel clair
- ❖ 2 cuillères à soupe de cassonade
- ❖ 2 cuillères à café de cannelle moulue
- ❖ 2 cuillères à soupe de jus d'orange
- ❖ Anis 2 étoiles
- ❖ doigts sablés, pour servir
- ❖ Pour le mascarpone au gingembre
- ❖ 1 boule de gingembre, hachée très finement

- ❖ 1 cuillère à soupe de sirop de gingembre du pot
- ❖ ½ pot de mascarpone de 250 g

1. PAS

1. Chauffer le four à 200C / 180C ventilateur / gaz 6. Déposer les figues dans un plat à rôtir allant au four, parsemer de beurre et arroser de miel. Saupoudrer de sucre et de cannelle, puis verser sur le jus d'orange et mélanger légèrement. Nestle l'anis étoilé parmi les figues et rôti pendant 15-20 minutes.

2. Au moment de servir, mélanger le gingembre et le sirop au mascarpone. Déposer 4 moitiés de figues, arrosées de sirop, sur une assiette avec une cuillerée de mascarpone et quelques doigts sablés.

30 Salade de feta méditerranéenne avec vinaigrette à la grenade

Ingrédients

- ❖ 2 poivrons rouges
- ❖ 3 aubergines moyennes, coupées en morceaux ou
  15 petites, coupées en deux
- ❖ 6 cuillères à soupe d'huile d'olive extra vierge
- ❖ cuillère à café de cannelle

- ❖ 200g de haricots verts, blanchis (à utiliser congelés si vous le pouvez)
- ❖ 1 petit oignon rouge, coupé en demi-lunes
- ❖ 200g de fromage feta, égoutté et émietté
- ❖ graines 1 grenade
- ❖ une poignée de persil, haché grossièrement

Pour la vinaigrette
- ❖ 1 petite gousse d'ail écrasée
- ❖ 1 cuillère à soupe de jus de citron
- ❖ 2 cuillères à soupe de mélasse de grenade
- ❖ 5 cuillères à soupe d'huile d'olive extra vierge

PAS

1. Chauffer le four à 200 ° C / ventilateur 180 ° C / gaz 6. Chauffer le gril à son réglage le plus élevé. Coupez les poivrons en quartiers, puis placez-les, côté peau vers le haut, sur une plaque à pâtisserie. Griller jusqu'à ce qu'il soit noirci. Placer dans un sac en plastique, sceller, puis laisser reposer 5 min. Lorsqu'elle est suffisamment froide pour être manipulée, grattez la peau, jetez-la, puis réservez les poivrons.

2. Déposer les aubergines sur une plaque à pâtisserie, arroser d'huile d'olive et de cannelle, puis assaisonner de sel et de poivre. Rôtir

jusqu'à ce qu'il soit doré et ramolli - environ 25 minutes.
3. Pendant ce temps, mélanger tous les ingrédients de la vinaigrette et bien mélanger.

Servir:
- Placez les aubergines, les haricots verts, l'oignon et les poivrons dans une grande assiette de service.
- Saupoudrer de feta et de graines de grenade.
- Versez la vinaigrette dessus, puis terminez par le persil.

31. Salade grecque de tomates avec fetta poêlée

INGRÉDIENTS

- ❖ 200g de fetta grecque, coupée en deux
- ❖ 2 cuillères à soupe d'huile d'olive extra vierge
- ❖ 250g de mini tomates Roma rouges, coupées en deux
- ❖ 200g de tomates raisins jaunes coupées en deux
- ❖ 1 poivron vert, coupé en dés
- ❖ 1 concombre libanais, coupé en dés
- ❖ 1/2 oignon rouge, tranché finement en rondelles
- ❖ 1/2 tasse d'olives kalamata dénoyautées
- ❖ 1/4 tasse de feuilles d'origan frais
- ❖ 2 cuillères à soupe de jus de citron
- ❖ 1 gousse d'ail écrasée

PAS

1. Pat fetta sécher avec une serviette en papier. Faites chauffer 2 cuillères à café d'huile dans une poêle antiadhésive à feu vif. Ajoutez la fetta. Cuire 2 minutes, d'un côté, ou jusqu'à ce qu'elles soient dorées. Retirer la casserole du feu. Mettre la fetta dans la poêle, sans bouger, pendant 10 minutes pour qu'elle refroidisse légèrement.

2. Entre-temps, mélanger les tomates, le poivron, le concombre, l'oignon, les olives et la moitié de l'origan dans un grand bol.

3. Mettre le jus de citron, l'ail et le reste de l'huile dans un petit bol. Assaisonner avec du sel, du sel et du poivre. Fouetter pour combiner. Ajouter la vinaigrette à la salade. Mélanger pour combiner. Transférer dans un plat de service. Disposer la fetta, côté doré vers le haut, sur une salade. Servir saupoudré du reste d'origan.

32.Minceau de la Méditerranée et galettes de pommes de terre

INGRÉDIENTS

- ❖ 800g de pommes de terre Desiree, pelées, hachées
- ❖ 2 boîtes de 115 g de filets de maquereau sans peau et désossés de style méditerranéen King Oscar
- ❖ 3 oignons verts, hachés finement
- ❖ 1/2 tasse de feuilles de basilic frais hachées

- ❖ 2 cuillères à soupe d'olives kalamata tranchées
- ❖ 1 cuillère à café de zeste de citron finement râpé
- ❖ 1 œuf, légèrement battu
- ❖ 1 1/3 tasse de chapelure panko
- ❖ Huile de son de riz pour la friture peu profonde

PAS

1. Placer la pomme de terre dans une grande casserole. Couvrir d'eau froide. Porter à ébullition à feu vif. Faire bouillir pendant 12 minutes ou jusqu'à ce qu'ils soient tendres. Drainer. Remettre dans la poêle à feu doux. Remuez la pomme de terre jusqu'à ce que le liquide se soit évaporé. Écrasez grossièrement. Transférer dans un bol. Mettez de côté pour refroidir.

2. Égoutter le maquereau en réservant les tranches d'olive. Ajouter le maquereau et les olives réservées, l'oignon vert, le basilic, les olives kalamata, le zeste de citron, l'œuf et 1/3 tasse de chapelure à la pomme de terre - assaisonner avec du sel et du poivre. Remuer pour combiner. Nous utilisons les mains humides, façonnons le mélange en 8 galettes.

3. Placez le reste de la chapelure dans un plat peu profond. Enrober les galettes de chapelure en secouant l'excédent. Déposer sur une assiette tapissée de papier sulfurisé. Réfrigérer 20 minutes ou jusqu'à fermeté.

4. Pendant ce temps, préparez une salade de tomates et de haricots cannellini: combiner la tomate, les haricots, l'origan et la laitue dans un

bol. Arrosez trop. Assaisonnez avec du sel et du poivre. Mélangez doucement pour combiner.

5. Versez suffisamment d'huile dans une grande poêle antiadhésive pour remonter de 1 cm sur le côté de la poêle. Chauffer à feu moyen — Faire frire les galettes de 2 à 3 minutes de chaque côté ou jusqu'à ce qu'elles soient dorées et croustillantes. Égoutter sur une serviette en papier. Servir les galettes avec de la salade et des quartiers de citron.

33 Recette de houmous (authentique et maison)

INGRÉDIENTS

- ❖ 3 tasses de pois chiches cuits, pelés (de 1 à 1 ¼ tasse de pois chiches secs ou de pois chiches en conserve de qualité. Voir les notes de recette pour plus d'instructions sur la cuisson et l'épluchage des pois chiches)

- ❖ 1 à 2 gousses d'ail émincées
- ❖ 3 à 4 glaçons
- ❖ ⅓ tasse (79 grammes) de pâte de tahini
- ❖ ½ cuillère à café de sel casher
- ❖ Jus de 1 citron
- ❖ Eau chaude (si nécessaire)
- ❖ Huile d'olive extra vierge grecque Early Harvest
- ❖ Sumac

PAS

1. Ajouter les pois chiches et l'ail émincé dans le bol d'un robot culinaire. Réduisez en purée jusqu'à ce qu'un mélange lisse et poudreux se forme.
2. Pendant que le robot est en marche, ajoutez des glaçons, du tahini, du sel et du jus de citron. Mélanger pendant environ 4 minutes environ. Vérifiez, et si la consistance est encore trop épaisse, faites fonctionner le processeur et ajoutez lentement un peu d'eau chaude. Mélanger jusqu'à ce que vous atteigniez la consistance lisse et soyeuse désirée.
3. Répartir dans un bol de service et ajouter un généreux filet d'OEVO Récolte précoce. Ajoutez quelques pois chiches au milieu, si vous le souhaitez. Saupoudrez de sumac sur le dessus. Dégustez avec des quartiers de pita chauds et vos légumes préférés.

34.Garniture aux micro-herbes

INGRÉDIENTS

- ❖ Huile d'olive extra vierge pour le brossage
- ❖ 1 petit poivron rouge, haché (environ ¾ tasse)
- ❖ 12 tomates cerises, coupées en deux
- ❖ 1 échalote, hachée finement
- ❖ 6 à 10 olives kalamata dénoyautées, hachées
- ❖ 3 à 4 oz / 113 g de poulet ou de dinde cuit, désossé, râpé
- ❖ 1 oz / 28,34 g (environ ½ tasse) de feuilles de persil frais hachées
- ❖ Une poignée de feta émiettée à votre goût
- ❖ 8 gros œufs
- ❖ Sel et poivre
- ❖ ½ cuillère à café de paprika espagnol
- ❖ ¼ cuillère à café de curcuma moulu (facultatif)

PAS

1. Placez une grille au centre de votre four et préchauffez à 350 degrés F.
2. Préparez un moule à 12 muffins comme celui-ci (ou 12 moules à muffins individuels). Badigeonner d'huile d'olive extra vierge.
3. Répartir les poivrons, les tomates, les échalotes, les olives, le poulet (ou la dinde), le persil et la feta émiettée dans les 12 tasses (ils devraient ⅔ du chemin plein.)
4. Dans une grande tasse à mesurer ou un bol à mélanger, ajoutez les œufs, le sel, le sel, le poivre et les épices. Fouettez bien pour combiner.
5. Versez soigneusement le mélange d'œufs sur chaque tasse, en laissant un peu de place au sommet (devrait être à environ ¾ du chemin.)
6. Placez un moule à muffins ou des moules à muffins sur une plaque de cuisson (pour aider à attraper tout déversement). Cuire au four chauffé pendant environ 25 minutes ou jusqu'à ce que les muffins aux œufs soient pris.
7. Laisser refroidir quelques minutes, puis passer un petit couteau à beurre sur les bords de chaque muffin pour les desserrer. Retirer du moule et servir

35.FautMudammas

INGRÉDIENTS

- ❖ 2 boîtes de fèves nature (13 à 15 onces chacune) (voir les notes si vous utilisez des fèves sèches)
- ❖ ½ tasse d'eau
- ❖ Sel casher
- ❖ ½ à 1 cuillère à café de cumin moulu
- ❖ 1 à 2 piments forts, hachés (les jalapenos fonctionneront ici)
- ❖ 2 gousses d'ail hachées

- ❖ 1 gros jus de citron
- ❖ Huile d'olive extra vierge (Récolte précoce)
- ❖ 1 tasse de persil haché
- ❖ 1 tomate, coupée en dés

Servir:
- ❖ Pain chaud
- ❖ Tomates en tranches
- ❖ Concombres tranchés
- ❖ Oignons verts
- ❖ Olives

PAS

1. Dans une poêle ou une casserole en fonte, ajoutez les fèves et ½ tasse d'eau. Réchauffer à feu moyen-vif. Assaisonner avec du sel casher et du cumin. Utilisez un presse-purée ou une fourchette pour écraser les fèves.
2. Dans un mortier et un pilon, ajoutez les piments forts et l'ail. Briser. Ajoutez le jus d'un citron et mélangez.
3. Versez la sauce à l'ail et au piment fort sur les fèves. Ajouter un généreux filet d'huile d'olive extra vierge. Garnir de persil haché, de tomates en dés et de quelques tranches de piments forts, si vous le souhaitez.
4. Servir avec du pain pita, des légumes tranchés et des olives.

36.Creamy Tahini Date Banana Shake

INGRÉDIENTS

- ❖ 2 bananes surgelées, tranchées
- ❖ 4 dattes Medjool dénoyautées (si elles sont trop grosses, vous pouvez les hacher un peu.)
- ❖ ¼ tasse de tahini (j'ai utilisé du tahini Soom)
- ❖ ¼ tasse de glace pilée
- ❖ 1 ½ tasse de lait d'amande non sucré
- ❖ Une pincée de cannelle moulue, plus pour plus tard

PAS

1. Placez les bananes surgelées tranchées dans votre mixeur, ajoutez le reste des ingrédients. Faites fonctionner le mélangeur jusqu'à ce que vous obteniez un shake lisse et crémeux.
2. Transférer les dattes à la banane dans des coupes de service et ajouter une pincée de cannelle moulue sur le dessus.

37 Recette de Shakshuka

INGRÉDIENTS

* ❖ Huile d'olive extra vierge (j'ai utilisé Private Reserve EVOO)
* ❖ 1 gros oignon jaune, haché
* ❖ 2 poivrons verts, hachés
* ❖ 2 gousses d'ail, pelées, hachées
* ❖ 1 cuillère à café de coriandre moulue

- ❖ 1 cuillère à café de paprika doux
- ❖ ½ cuillère à café de cumin moulu
- ❖ Une pincée de flocons de piment rouge (facultatif)
- ❖ Sel et poivre
- ❖ 6 tomates mûres sur pied, hachées (environ 6 tasses de tomates hachées)
- ❖ ½ tasse de sauce tomate
- ❖ 6 gros œufs
- ❖ ¼ tasse de feuilles de persil frais hachées (environ 0,2 once ou 5 grammes)
- ❖ ¼ tasse de feuilles de menthe fraîche hachées (environ 0,2 once ou 5 grammes)

PAS

1. Faites chauffer 3 cuillères à soupe d'huile d'olive dans une grande poêle en fonte. Ajouter les oignons, les poivrons verts, l'ail, les épices, une pincée de sel et le poivre. Cuire, en remuant de temps en temps, jusqu'à ce que les légumes soient ramollis, environ 5 minutes.

2. Ajouter les tomates et la sauce tomate. Couvrir et laisser mijoter environ 15 minutes. Découvrir et cuire un peu plus longtemps pour permettre au mélange de réduire et d'épaissir. Goûtez et ajustez l'assaisonnement à votre goût.

3. À l'aide d'une cuillère en bois, faites 6 empreintes, ou «puits», dans le mélange de tomates (assurez-vous que les empreintes sont espacées). Cassez doucement un œuf dans chaque encoche.

4. Réduire le feu, couvrir la poêle et cuire à feu doux jusqu'à ce que les blancs d'œufs soient pris.

5. Découvrir et ajouter le persil frais et la menthe. Vous pouvez ajouter du poivre noir ou du poivron rouge broyé si vous le souhaitez. Servir avec du pita chaud, du pain challah ou votre choix de pain croustillant.

38. Recette de falafel

INGRÉDIENTS

- ❖ 1 recette de falafel
- ❖ 1 recette de houmous classique (ou houmous à l'ail rôti, houmous aux poivrons rouges rôtis)
- ❖ 1 recette de Baba Ghanoush
- ❖ Fromage feta ou 1 recette de Labneh
- ❖ 1 recette de tabouli
- ❖ 1 à 2 tomates, tranchées
- ❖ 1 concombre anglais, tranché
- ❖ 6 à 7 radis, coupés en deux ou en tranches
- ❖ Olives assorties (j'aime un mélange d'olives vertes et d'olives kalamata)
- ❖ Artichauts ou champignons marinés
- ❖ Early Harvest EVOO et Za'atar à tremper
- ❖ Pain pita, coupé en quartiers
- ❖ Raisins (nettoyant pour palette)
- ❖ Herbes fraîches pour la garniture

PAS

1. Préparez le falafel selon cette recette. Vous devrez commencer au moins la veille au soir pour faire tremper les pois chiches. Voir les notes cidessous pour savoir comment avancer. (Vous pouvez également acheter des falafels dans un magasin local du Moyen-Orient.)
2. Préparez le houmous selon cette recette et Baba ghanoush selon cette recette. Vous pouvez préparer les deux la veille et les conserver au réfrigérateur. Si vous le souhaitez, essayez le houmous à l'ail rôti ou le houmous aux poivrons rouges rôtis pour changer les choses. (Si vous

n'avez pas le temps, utilisez du houmous de qualité acheté en magasin.)

3. Trancher le fromage feta ou préparer le Labneh à l'avance selon cette recette.

4. Préparez le tabouli selon cette recette. Il peut être préparé quelques jours à l'avance et réfrigéré dans des récipients en verre à couvercle hermétique.

5. Pour assembler le plateau du petit-déjeuner méditerranéen, placez le houmous, le baba ghanoush, l'huile d'olive, le zaatar, le tabouli dans des bols. Placez le plus grand bol au centre d'une grande planche ou d'un plateau en bois pour créer un point focal. Disposez les bols restants sur différentes parties du plateau ou du plateau pour créer du mouvement et de la forme. Utilisez les espaces des bols pour placer les ingrédients restants comme le falafel, les légumes tranchés et le pain pita. Ajouter les raisins et garnir d'herbes fraîches, si vous le souhaitez.

39 Recette de jus vert simple

1 bouquet de chou frisé (environ 5 oz)
- ❖ 1 morceau de gingembre frais, pelé
- ❖ 1 pomme Granny Smith (ou n'importe quelle grosse pomme)
- ❖ 5 branches de céleri, extrémités coupées
- ❖ ½ gros concombre anglais
- ❖ Une poignée de persil frais (environ 1 oz)

PAS

1. Lavez et préparez les légumes. J'aime les couper en gros morceaux.
2. Jus dans l'ordre indiqué (ou ajoutez-les dans un mélangeur et mixez à puissance élevée.)
3. Si vous avez utilisé un presse-agrumes, versez simplement le jus vert dans des verres et dégustez-le immédiatement. Si vous utilisiez un mixeur, le jus serait plus épais. Vous pouvez le verser à travers un tamis à mailles fines et, à l'aide du dos d'une cuillère, presser la pulpe dans le tamis pour extraire le plus de liquide possible. Versez le jus filtré dans des verres et

40 Salade méditerranéenne

INGRÉDIENTS

❖

6 tomates Roma, coupées en dés (environ 3 tasses de tomates en dés)

❖ 1 gros concombre anglais (ou concombre chaud), coupé en dés

❖ ½ à ¾ tasse tassée / 15 à 20 g de feuilles de persil frais hachées

❖ sel, au goût

❖ ½ cuillère à café de poivre noir

❖ 1 cuillère à café de sumac moulu

- ❖ 2 cuillères à soupe d'huile d'olive extra vierge Récolte précoce
- ❖ 2 cuillères à café de jus de citron fraîchement pressé

PAS

1. Placez les tomates en dés, les concombres et le persil dans un grand saladier. Ajouter le sel et réserver environ 4 minutes.
2. Ajouter le reste des ingrédients et remuer doucement la salade. Laisser les saveurs se fondre quelques minutes avant de servir.

41 Trempette aux agrumes et à l'avocat

INGRÉDIENTS

❖

2 oranges nombril, pelées et coupées en dés
❖ 2 gros avocats (ou 3 petits avocats), dénoyautés, pelés et coupés en dés
❖ ½ tasse / 60 g d'oignons rouges hachés
❖ ½ tasse de coriandre hachée
❖ ½ tasse / 7 g de menthe fraîche hachée
❖ ½ tasse / 400 g de cœurs de noix, hachés
❖ Sel et poivre
❖ ¾ cuillère à café de Sumac
❖ Cayenne
❖ Jus de 1 citron vert

- ❖ Bruine généreuse d'huile d'olive extra vierge grecque Early Harvest
- ❖ 1 ¾ oz / 49 g de fromage feta émietté

PAS

1. Placez les oranges, l'avocat, les oignons rouges, les herbes fraîches et les noix dans un grand bol. Assaisonner avec du sel, du poivre, du sumac et une pincée de poivre de Cayenne.
2. Ajouter le jus de lime et un généreux filet d'EVOO Early Harvest. Mélangez doucement pour combiner. Ajoutez du fromage feta sur le dessus.
3. Servir avec vos chips santé préférées.

INGRÉDIENTS

❖

42.Tomates rôties rapidement à l'ail et au thym

2 tomates plus petites de laboratoire, coupées en deux (j'ai utilisé des tomates Campari)

- ❖ 2 à 3 gousses d'ail émincées
- ❖ Sel casher et poivre noir
- ❖ 2 cuillères à café de thym frais, les tiges enlevées
- ❖ 1 cuillère à café de sumac
- ❖ ½ cuillère à café de flocons de piment sec, j'ai utilisé du piment d'Alep qui est plus doux
- ❖ Huile d'olive extra vierge, j'ai utilisé de l'huile d'olive extra vierge grecque Private Reserve
- ❖ Fromage feta émietté, facultatif

INGRÉDIENTS

❖

PAS

1. Préchauffez le four à 450 degrés F.
2. Placez les moitiés de tomates dans un grand bol à mélanger. Ajouter l'ail émincé, le sel, le sel, le poivre, le thym frais et les épices. Arrosez une quantité généreuse, environ ¼ tasse ou plus, d'olive extra vierge de qualité. Remuez pour enrober.
3. Transférer les tomates sur une plaque à pâtisserie avec un rebord. Répartir les tomates en une seule couche, côté chair vers le haut.
4. Rôtir dans votre four chauffé pendant 30 à 35 minutes ou jusqu'à ce que les tomates se soient effondrées à la cuisson désirée.
5. Retirer du feu. Si vous prévoyez de le servir bientôt, n'hésitez pas à garnir avec plus de thym frais et quelques pincées de fromage feta. A déguster tiède ou à température ambiante.

43 Salade grecque traditionnelle

1 oignon rouge moyen
- ❖ 4 tomates juteuses moyennes
- ❖ 1 concombre anglais (concombre de serre) partiellement pelé, formant un motif rayé
- ❖ 1 poivron vert évidé
- ❖ Olives de Kalamata dénoyautées à la grecque une poignée à votre goût
- ❖ Une pincée de sel casher
- ❖ 4 cuillères à soupe d'huile d'olive extra vierge de qualité J'ai utilisé de l'huile d'olive grecque Early
  Harvest

INGRÉDIENTS

- ❖
- ❖ 1 à 2 cuillères à soupe de vinaigre de vin rouge
- ❖ Les blocs de fromage feta grec n'émiettent pas la feta; laissez-le en gros morceaux
- ❖ ½ cuillère à soupe d'origan séché

PAS

1. Couper l'oignon rouge en deux et trancher finement en demi-lunes. (Si vous voulez enlever le bord, placez les oignons émincés dans une solution d'eau glacée et de vinaigre pendant un peu avant de les ajouter à la salade.)
2. Coupez les tomates en quartiers ou en gros morceaux (j'en ai coupé quelques-unes en rondelles et j'ai coupé le reste en quartiers).
3. Couper le concombre partiellement pelé en deux dans le sens de la longueur, puis le couper en deux épaisses (au moins ½ "d'épaisseur)
4. Trancher finement le poivron en rondelles.
5. Placez le tout dans un grand plat à salade. Ajoutez une bonne poignée d'olives kalamata dénoyautées.
6. Assaisonner très légèrement avec du sel casher (juste une pincée) et un peu d'origan séché.
7. Versez l'huile d'olive et le vinaigre de vin rouge sur la salade. Mélangez tout doucement (ne pas trop mélanger, cette salade n'est pas destinée à être trop manipulée).

8. Ajoutez maintenant les blocs de feta sur le dessus et ajoutez un peu plus d'origan séché.
9. Servir avec du pain croustillant.

44 Légumes rôtis au four italien

INGRÉDIENTS

- ❖ 8 oz de champignons Baby Bella nettoyés, les extrémités coupées
- ❖ 12 oz de pommes de terre grelots, frottées (ou coupées en deux ou en cubes selon la taille. Vous voulez qu'elles soient petites)

- ❖ 12 oz de tomates Campari, de raisins ou de tomates cerises feront également l'affaire
- ❖ 2 courgettes ou courges d'été, coupées en morceaux de 1 pouce
- ❖ 10 à 12 grosses gousses d'ail pelées
- ❖ Huile d'olive vierge extra
- ❖ ½ cuillère à soupe d'origan séché
- ❖ 1 cuillère à café de thym séché
- ❖ Sel et poivre
- ❖ Fromage parmesan fraîchement râpé pour servir facultatif
- ❖ Flocons de piment rouge écrasés (facultatif)

PAS

1. Préchauffez le four à 425 degrés F.
2. Placez les champignons, les légumes et l'ail dans un grand bol à mélanger. Arroser généreusement d'huile d'olive (environ ¼ tasse d'huile d'olive ou plus). Ajouter l'origan séché, le thym, le sel et le poivre. Mélanger pour combiner.
3. Prenez les pommes de terre uniquement et étalez-les sur une plaque à pâtisserie légèrement huilée. Rôtir au four chauffé pendant 10 minutes. Retirer du feu, puis ajouter les champignons et les légumes restants. Remettre au four pour rôtir encore 20 minutes ou jusqu'à ce que les légumes soient tendres à la fourchette (un peu de carbonisation est bon!)
4. Servir immédiatement avec une pincée de parmesan fraîchement râpé et de flocons de piment rouge broyés (facultatif).

45 Salade de haricots blancs

INGRÉDIENTS

- ❖ 2 boîtes de haricots blancs (cannellini), égouttés et bien rincés
- ❖ 1 concombre anglais, coupé en dés
- ❖ 10 oz de tomates raisins ou cerises, coupées en deux

- ❖ 4 oignons verts, hachés
- ❖ 1 tasse de persil frais haché
- ❖ 15 à 20 feuilles de menthe, hachées
- ❖ 1 citron, zesté et pressé
- ❖ Sel et poivre
- ❖ Épices (1 cuillère à café de Za'atar et ½ cuillère à café de sumac et d'Alep. Voir les notes pour plus d'options)
- ❖ Huile d'olive extra vierge (j'ai utilisé Early Harvest EVOO)
- ❖ Fromage feta, (facultatif)

PAS

1. Ajouter les haricots blancs, les concombres, les tomates, les oignons verts, le persil et la menthe dans un grand bol à mélanger.
2. Ajoutez le zeste de citron. Assaisonner de sel et de poivre, puis ajouter le zaatar, le sumac et le piment d'Alep.
3. Terminer avec du jus de citron et un généreux filet d'huile d'olive extra vierge (2 à 3 cuillères à soupe). Mélangez bien la salade. Goûtez et rectifiez l'assaisonnement. Ajoutez du fromage feta, si vous le souhaitez. (Pour une meilleure saveur, laissez la salade reposer dans la vinaigrette pendant environ 30 minutes avant de servir.)

46.Ragoût de chou-fleur rôti et pois chiches

INGRÉDIENTS

- ❖ 1 ½ cuillère à café de curcuma moulu
- ❖ 1 ½ cuillère à café de cumin moulu
- ❖ 1 ½ cuillère à café de cannelle moulue
- ❖ 1 cuillère à café de coriandre moulue
- ❖ 1 cuillère à café de paprika doux

- ❖ 1 cuillère à café de poivre de Cayenne (facultatif)
- ❖ ½ cuillère à café de cardamome verte moulue
- ❖ 1 chou-fleur entier, divisé en petits fleurons
- ❖ 5 carottes en vrac de taille moyenne, pelées, coupées en morceaux de 1 ½ "
- ❖ Sel et poivre
- ❖ Huile d'olive vierge extra de réserve privée
- ❖ 1 gros oignon doux, haché
- ❖ 6 gousses d'ail hachées
- ❖ 2 boîtes de pois chiches de 14 oz, égouttées et rincées
- ❖ 1 boîte de 28 oz de tomates en dés avec son jus
- ❖ ½ tasse de feuilles de persil enlevées, hachées grossièrement
- ❖ Amandes effilées grillées (facultatif)
- ❖ Noix de pin grillées (facultatif)

PAS

1. Préchauffez le four à 475 degrés F.
2. Dans un petit bol, mélangez les épices.
3. Placer les fleurons de chou-fleur et les morceaux de carottes sur une grande plaque à pâtisserie légèrement huilée. Assaisonnez avec du sel et du poivre. Ajoutez un peu plus de la moitié du mélange d'épices. Arrosez généreusement d'huile d'olive, puis mélangez pour vous assurer que les épices enrobent uniformément le choufleur et les carottes.
4. Cuire au four chauffé à 475 degrés F pendant 20 minutes ou jusqu'à ce que les carottes et le choufleur ramollissent et prennent de la

couleur. Retirer du feu et réserver pour l'instant. Éteignez le four.

5. Dans une grande casserole en fonte ou dans une cocotte, faites chauffer 2 cuillères à soupe d'huile d'olive. Ajouter les oignons et faire revenir 3 minutes, puis ajouter l'ail et les épices restantes. Cuire à feu moyen-vif pendant 2-3 minutes de plus, en remuant constamment.

6. Ajoutez maintenant les pois chiches et les tomates en conserve. Assaisonnez avec du sel et du poivre. Incorporer le chou-fleur rôti et les carottes. Porter le tout à ébullition, puis réduire le feu à moyen-doux, couvrir à moitié et cuire encore 20 minutes. Assurez-vous de vérifier le ragoût, en remuant de temps en temps, et ajoutez un peu d'eau si nécessaire.

7. Retirer du feu et transférer dans des bols de service. Garnir de persil frais et de noix grillées (facultatif). Déguster chaud sur du couscous cuit rapidement ou avec un côté de pain pita chaud.

47 Recette de salade de tabouli

INGRÉDIENTS

- ❖ ½ tasse de boulgour extra-fin
- ❖ 4 tomates Roma fermes, hachées très finement
- ❖ 1 concombre anglais (concombre de serre), haché très finement
- ❖ 2 bouquets de persil, une partie des tiges enlevée, lavée et bien séchée, hachée très finement

- ❖ 12-15 feuilles de menthe fraîche, tiges enlevées, lavées, bien séchées, hachées très finement
- ❖ 4 oignons verts, parties blanches et vertes, hachés très finement
- ❖ Le sel
- ❖ 3-4 cuillères à soupe de jus de citron vert (jus de citron, si vous préférez)
- ❖ 3-4 cuillères à soupe d'huile d'olive extra vierge Récolte précoce
- ❖ Feuilles de laitue romaine à servir (facultatif)

PAS

1. Lavez le boulgour et faites-le tremper dans l'eau pendant 5 à 7 minutes. Bien égoutter (presser le boulgour à la main pour éliminer tout excès d'eau). Mettre de côté.
2. Hachez très finement les légumes, les herbes et les oignons verts comme indiqué ci-dessus. Assurez-vous de placer les tomates dans une passoire pour égoutter l'excès de jus.
3. Placez les légumes hachés, les herbes et les oignons verts dans un bol ou un plat à mélanger. Ajouter le boulgour et assaisonner de sel. Mélangez doucement.
4. Ajoutez maintenant le jus de citron vert et l'huile d'olive et mélangez à nouveau.
5. Pour de meilleurs résultats, couvrez le tabouli et réfrigérez pendant 30 minutes. Transférer dans

un plat de service. Si vous le souhaitez, servez le tabouli avec un accompagnement de pita et de feuilles de laitue romaine, qui font office de wraps ou de "barques" pour le tabouli.

6. Autres entrées à servir à côté de la salade de tabouli: Houmous; Baba Ghanoush; ou
Houmous aux poivrons rouges rôtis

48 Recette de salade de pastèque méditerranéenne

INGRÉDIENTS

- ❖ Pour la vinaigrette au miel
- ❖ 2 cuillères à soupe de miel
- ❖ 2 cuillères à soupe de jus de citron vert

- ❖ 1 à 2 cuillères à soupe d'huile d'olive extra vierge de qualité (j'ai utilisé Greek Early Harvest)
- ❖ pincée de sel
- ❖ Pour la salade de pastèque
- ❖ ½ pastèque, pelée, coupée en cubes
- ❖ 1 concombre anglais (ou chaud maison), coupé en cubes (environ 2 tasses de concombres en cubes)
- ❖ 15 feuilles de menthe fraîche, hachées
- ❖ 15 feuilles de basilic frais, hachées
- ❖ ½ tasse de fromage feta émietté, plus à votre goût

PAS

1. Dans un petit bol, fouetter ensemble le miel, le jus de citron vert, l'huile d'olive et une pincée de sel. Mettez de côté un instant.
2. Dans un grand bol ou un plat de service avec des côtés, mélanger la pastèque, les concombres et les herbes fraîches.
3. Garnir la salade de melon d'eau avec la vinaigrette au miel et mélanger doucement pour combiner. Garnir de fromage feta et servir.

49 Courgettes au four avec parmesan et thym

INGRÉDIENTS

- ❖ 3 à 4 courgettes parées et coupées en quatre sur la longueur (bâtonnets)
- ❖ Huile d'olive extra vierge J'ai utilisé de l'huile d'olive extra vierge grecque Private Reserve
    - ❖ Pour la garniture au parmesan et au thym:
- ❖ ½ tasse de parmesan râpé
- ❖ 2 cuillères à café de thym frais sans tiges
- ❖ 1 cuillère à café d'origan séché
- ❖ ½ cuillère à café de paprika doux J'ai utilisé ce paprika entièrement naturel
- ❖ ½ cuillère à café de poivre noir
- ❖ une pincée de sel casher

PAS

1. Chauffer le four à 350 degrés F.
2. Dans un bol, mélanger le parmesan râpé, le thym et les épices jusqu'à ce que le tout soit bien mélangé.
3. Préparez une grande plaque à pâtisserie surmontée d'une grille de cuisson comme celleci. Badigeonner légèrement la grille d'huile d'olive extra vierge (ou utiliser un aérosol de cuisson sain.) Disposer les bâtonnets de courgettes, côté peau vers le bas, sur la grille de

cuisson et badigeonner chaque bâtonnet de courgette d'huile d'olive extra vierge.

4. Saupoudrer de garniture au parmesan et au thym sur chaque bâton de courgette

5. Cuire au four chauffé de 15 à 20 minutes ou jusqu'à tendreté. Ensuite, pour une garniture dorée croustillante, faites griller 2 à 3 minutes de plus, en surveillant attentivement.

6. Servir immédiatement en apéritif avec un accompagnement de tzatziki ou de houmous pour tremper! Ou servez-le en accompagnement à côté de la protéine de votre choix.

50 Salade de pois chiches à la méditerranéenne chargée

INGRÉDIENTS

- ❖ 1 grosse aubergine, tranchée finement (pas plus de ¼ de pouce d'épaisseur)
- ❖ Le sel
- ❖ huile pour la friture, de préférence huile d'olive extra vierge
- ❖ 1 tasse de pois chiches cuits ou en conserve, égouttés
- ❖ 3 cuillères à soupe d'épices Za'atar, divisées
- ❖ 3 tomates Roma, coupées en dés
- ❖ ½ concombre anglais, coupé en dés
- ❖ 1 petit oignon rouge, tranché en ½ lunes
- ❖ 1 tasse de persil haché ❖ 1 tasse d'aneth haché
- ❖ Pour la vinaigrette à l'ail:
- ❖ 1 à 2 gousses d'ail émincées
- ❖ 1 gros citron vert, jus de
- ❖ ⅓ tasse d'huile d'olive extra vierge Early Harvest
- ❖ Sel + poivre

PAS

1. Préparer l'aubergine (facultatif) Placez l'aubergine tranchée sur un grand plateau et saupoudrez généreusement de sel. Laissez-le reposer pendant 30 minutes (l'aubergine «transpirera» de son amertume lorsqu'elle est assise.) Maintenant, tapissez un autre grand plateau ou une plaque à pâtisserie avec un sac en papier recouvert d'une serviette en papier et placez-le près du poêle.

2. Faites cuire l'aubergine (facultatif). Séchez l'aubergine. Chauffer 4 à 5 cuillères à soupe

d'huile d'olive extra vierge à feu moyen / moyen-
vif jusqu'à ce que ce soit scintillant mais sans fumer. Faites frire l'aubergine dans l'huile par lots (faites-le soigneusement et ne surchargez pas la poêle). Lorsque les tranches d'aubergine deviennent dorées d'un côté, retournez-les et faites-les frire de l'autre côté. Retirer les tranches d'aubergine à l'aide d'une spatule à fentes et les disposer sur le plateau tapissé de papier absorbant pour égoutter et refroidir.

3. Une fois refroidie, assemblez l'aubergine sur un plat de service. Saupoudrer de 1 cuillère à soupe de Za'atar.

4. Préparez une salade de pois chiches. Dans un bol moyen, mélanger les tomates, les concombres, les pois chiches, les oignons rouges, le persil et l'aneth. Ajoutez le Zaatar restant et mélangez doucement.

5. Préparez la vinaigrette. Dans un petit bol, fouetter ensemble la vinaigrette. Verser 2 cuillères à soupe de vinaigrette sur l'aubergine frite; verser le reste de la vinaigrette sur la salade de pois chiches et mélanger.

6. Ajouter la salade de pois chiches au plat de service avec l'aubergine.

CONCLUSION

Le régime méditerranéen n'est pas un régime unique mais plutôt un régime alimentaire qui s'inspire du régime alimentaire des pays du sud de l'Europe. L'accent est mis sur les aliments végétaux, l'huile d'olive, le poisson, la volaille, les haricots et les céréales.

Lightning Source UK Ltd.
Milton Keynes UK
UKHW020651040521
383095UK00001B/93